Pour le CD audio :

Voix : Julie Toreau et Paulo Lucazzo, avec la participation des enfants du conservatoire de musique
et de danse de Rochefort (Lou Bertin, Dzhari Chauvet, Solène Dagbert, Marilou Guérin, Louis Martin,
Baptiste Rodriguez, Marie Testard, Paul Testard, Emma Vochelet)

Orchestre : Guillaume Baron (guitare), Arnaud Chataigner (violon), Pascal Combeau (clarinette, batterie),
Philippe Cottin (flûte, piccolo), Béatrice Daigre-Hurteaud (alto), Michel Delage (claviers, sousaphone),
Thomas Dubos (basson), Cyrille Gaultier (hautbois), Mathias Guerry (violon), Sébastien Orzan (trombone),
Jean-Nicolas Richard (violoncelle) et André Telman (trompette, bugle)

Direction musicale, arrangements et orchestrations : Michel Delage
Montage midi : Guillaume Baron
Prise de son et mixage : Mathieu Nappez et François Gaucher
Mastering : François Gaucher
Direction artistique : Éric Debègue
Enregistré au studio Alhambra Colbert –17300 Rochefort
Éditions Cristal Publishing

Merci à Olivier Tesson, responsable de la chorale du conservatoire de Rochefort,
pour sa collaboration, et à Delphine Doublot pour son amicale participation.

AVEC
1 CD

Illustrations
de Hervé Le Goff

Chansons de France

Volume 3

Père Castor

Sommaire

Ah ! mon beau château

— Ah ! mon beau château,
Ma tante tire, lire, lire,
Ah ! mon beau château,
Ma tante tire, lire, lo.

— Le nôtre est plus beau,
Ma tante tire, lire, lire,
Le nôtre est plus beau,
Ma tante tire, lire, lo.

— Nous le détruirons…

— Comment ferez-vous ?…

— Nous prendrons vos filles…

— Laquelle prendrez-vous ?…

— Celle que voici…

— Que lui donnerez-vous ?…

— Des jolis bijoux…

— Nous n'en voulons pas…

Auprès de ma blonde

Dans le jardin d'mon père, les lilas sont fleuris, *(bis)*
Tous les oiseaux du monde viennent y faire leurs nids.

Auprès de ma blonde,
Qu'il fait bon, fait bon, fait bon.
Auprès de ma blonde,
Qu'il fait bon dormir !

Tous les oiseaux du monde viennent y faire leurs nids, *(bis)*
La caille, la tourterelle et la jolie perdrix.

La caille, la tourterelle et la jolie perdrix, *(bis)*
Et ma jolie colombe, qui chante jour et nuit.

Et ma jolie colombe, qui chante jour et nuit, *(bis)*
Qui chante pour les filles qui n'ont point de mari.

Qui chante pour les filles qui n'ont point de mari, *(bis)*
Pour moi ne chante guère, car j'en ai un joli.

Pour moi ne chante guère, car j'en ai un joli. *(bis)*
– Dites-nous donc, la belle, où est votre mari ?

– Dites-nous donc, la belle, où est votre mari ? *(bis)*
– Il est dans la Hollande, les Hollandais l'ont pris.

– Il est dans la Hollande, les Hollandais l'ont pris. *(bis)*
– Que donneriez-vous, belle, pour avoir votre mari ?

– Que donneriez-vous, belle, pour avoir votre mari ? *(bis)*
– Je donnerais Versailles, Paris et Saint-Denis.

– Je donnerais Versailles, Paris et Saint-Denis, *(bis)*
Les tours de Notre-Dame, le clocher d'mon pays.

Les tours de Notre-Dame, le clocher d'mon pays, *(bis)*
Et ma jolie colombe, qui chante jour et nuit.

À la volette

Mon petit oiseau
A pris sa volée.
Mon petit oiseau
A pris sa volée.
A pris sa,
À la volette,
A pris sa,
À la volette,
A pris sa volée.

Est allé se mettre
Sur un oranger.
Est allé se mettre
Sur un oranger.
Sur un o,
À la volette,
Sur un o,
À la volette,
Sur un oranger.

La branche était sèche,
Elle s'est cassée…

Mon petit oiseau,
Où t'es-tu blessé ?…

Me suis cassé l'aile
Et tordu le pied…

Mon petit oiseau,
Veux-tu te soigner ?…

Je veux me soigner
Et me marier…

Me marier bien vite,
Sur un oranger…

Un canard disait à sa cane

Un canard disait à sa cane :
– Ris, cane, ris, cane.
Un canard disait à sa cane :
– Ris, cane.
Et la canari !

Un barbier disait à sa barbe :
– Ris, barbe, ris, barbe.
Un barbier disait à sa barbe :
– Ris, barbe.
Et la barbarie !

L'pâtissier disait à sa tarte :
– Ris, tarte, ris, tarte.
L'pâtissier disait à sa tarte :
– Ris, tarte.
Et la tartarie !

14

Le petit ver tout nu

Qui a vu, dans la rue,
Tout menu,
Le petit ver de terre ?
Qui a vu, dans la rue,
Tout menu,
Le petit ver tout nu ?

C'est la grue qui a vu,
Tout menu,
Le petit ver de terre.
C'est la grue qui a vu,
Tout menu,
Le petit ver tout nu.

Et la grue a voulu
Manger cru
Le petit ver de terre.
Et la grue a voulu
Manger cru
Le petit ver tout nu.

Sous une laitue bien feuillue
A disparu
Le petit ver de terre.
Sous une laitue bien feuillue
A disparu
Le petit ver tout nu.

Et la grue n'a pas pu
Manger cru
Le petit ver de terre.
Et la grue n'a pas pu
Manger cru
Le petit ver tout nu.

16

Jamais on n'a vu

Jamais on n'a vu,
Jamais on ne verra,
La famille Tortue
Courir après les rats.
Le papa Tortue
Et la maman Tortue
Et les enfants Tortue
Iront toujours au pas !

Sur le plancher

Une araignée
Sur le plancher
Se tricotait des bottes.
Un limaçon
Dans un flacon
Enfilait sa culotte.

J'ai vu dans le ciel
Une mouche à miel
Pincer sa guitare.
Des rats tout confus
Sonner l'angélus
Au son d'la fanfare.

19

Arlequin dans sa boutique

Arlequin dans sa boutique
Sur les marches du palais,
Il enseigne la musique
À tous ses petits valets.

Oui, monsieur Po,
Oui, monsieur Li,
Oui, monsieur Chi,
Oui, monsieur Nelle,
Oui, monsieur Polichinelle.

Il vend des bouts de réglisse,
Meilleurs que votre bâton,
Des bonshommes en pain d'épice,
Moins bavards que vous, dit-on.

Il a des pralines grosses,
Bien plus grosses que le poing,
Plus grosses que les deux bosses,
Qui sont dans votre pourpoint.

Il a de belles oranges
Pour les bons petits enfants,
Et de si beaux portraits d'anges
Qu'on dirait qu'ils sont vivants.

20

Il ne bat jamais sa femme,
Ce n'est pas comme chez vous,
Comme vous il n'a pas l'âme
Aussi dure que des cailloux.

Vous faites le diable à quatre,
Mais pour calmer votre courroux,
Le diable viendra vous battre,
Le diable est plus fort que vous.

Je cherche fortune

Je cherche fortune
Tout le long du Chat Noir,
Et au clair de la lune,
À Montmartre le soir.

Chez m'sieur l'boucher (bis)
Fais-moi crédit (bis)
J'n'ai plus d'argent (bis)
J'paierai samedi. (bis)
Si tu n'veux pas (bis)
M'donner d'gigot (bis)
J'te fourre la tête (bis)
Sur ton billot. (bis)

22

Chez monsieur l'maire *(bis)*
Fais-moi crédit *(bis)*
J'n'ai plus d'argent *(bis)*
J'paierai samedi. *(bis)*
Si tu n'veux pas *(bis)*
Me marier *(bis)*
J'te fourre la tête *(bis)*
Dans l'encrier. *(bis)*

Chez m'sieur l'curé *(bis)*
…
Me confesser *(bis)*
J'te fourre la tête *(bis)*
Dans l'bénitier. *(bis)*

Chez l'boulanger *(bis)*
…
M'donner du pain *(bis)*
J'te fourre la tête *(bis)*
Dans ton pétrin. *(bis)*

Chez l'cordonnier *(bis)*
…
M'donner d'godasses *(bis)*
J'te fourre la tête *(bis)*
Dans la mélasse. *(bis)*

Chez l'pâtissier *(bis)*
…
M'donner d'gâteaux *(bis)*
J'te fourre la tête *(bis)*
Dans ton fourneau. *(bis)*

Chez l'pharmacien *(bis)*
…
M'donner d'aspro *(bis)*
J'te fourre la tête *(bis)*
Dans tes bocaux. *(bis)*

L'homme de Cro-Magnon

C'était au temps d'la préhistoire,
Il y'a deux ou trois cent mille ans,
Vint au monde un être bizarre,
Proche parent d'l'orang-outan :
Debout sur ses pattes de derrière,
Vêtu d'un slip en peau d'bison,
Il allait conquérir la Terre :
C'était l'homme de Cro-Magnon.

L'homme de Cro,
L'homme de Ma,
L'homme de Gnon,
L'homme de Cro-Magnon.
L'homme de Cro de Magnon, ce n'est pas du bidon,
L'homme de Cro-Magnon, ponpon. *(bis)*

Armé de sa hache de pierre,
De son couteau de pierre itou,
Il chassait l'ours et la panthère,
En serrant les fesses malgré tout.
Devant l'diplodocus en rage,
Il s'faisait tout de même un peu p'tit
En disant dans son langage :
— Vivement qu'on invente le fusil !

Trois cent mille ans après sur Terre,
Comme nos ancêtres nous admirons,
Les bois, les champs et les rivières,
Mais s'il rev'nait, quelle déception !
De nous voir suer six jours sur sept,
Il dirait, sans faire de détail :
— Faut-y qu'mes héritiers soient bêtes,
Pour avoir inventé l'travail !

24

Pirouette, cacahouète

Il était un petit homme,
Pirouette, cacahouète,
Il était un petit homme,
Qui avait une drôle de maison. *(bis)*

La maison est en carton,
Pirouette, cacahouète,
La maison est en carton,
Les escaliers sont en papier. *(bis)*

Si vous voulez y monter…
Vous vous casserez le bout du nez. *(bis)*

Le facteur y est monté…
Il s'est cassé le bout du nez. *(bis)*

On lui a raccommodé…
Avec du joli fil doré. *(bis)*

Le beau fil s'est cassé…
Le bout du nez s'est envolé. *(bis)*

Un avion à réaction…
A rattrapé le bout du nez. *(bis)*

Mon histoire est terminée…
Messieurs, mesdames, applaudissez ! *(bis)*

Vent frais

Vent frais, vent du matin,
Vent qui souffle au sommet des grands pins,
Joie du vent qui souffle, allons dans le grand

Vent frais…

La Samaritaine

La Samaritaine, taine, taine,
Va à la fontaine, taine, taine,
Pour chercher de l'eau, l'eau, l'eau,
Dans un petit seau, seau, seau.
Son pied a buté, té, té,
Le seau est tombé, bé, bé,
L'eau s'est renversée !

Ah! dis-moi donc, bergère

— Ah ! dis-moi donc, bergère,
À qui sont ces moutons ?
— Eh, par ma foi, monsieur,
À ceux qui les gardions.

Et, tra la la déridérette
Et tra déron la !

— Ah ! dis-moi donc, bergère,
Combien sont ces moutons ?
— Eh, par ma foi, monsieur,
Il faut que j'les comptions.

— Ah ! dis-moi donc, bergère,
L'étang est-il profond ?
— Eh, par ma foi, monsieur,
Il descend jusqu'au fond.

– Ah ! dis-moi donc, bergère,
Le poisson est-il bon ?
– Eh, par ma foi, monsieur,
Pour ceux qui le mangions.

– Ah ! dis-moi donc, bergère,
Par où ce chemin va ?
– Eh, par ma foi, monsieur,
Il ne bouge pas de là.

– Ah ! dis-moi donc, bergère,
N'as-tu pas peur du loup ?
– Eh, par ma foi, monsieur,
Pas plus du loup que de vous.

Le fermier dans son pré

Le fermier dans son pré,
Le fermier dans son pré,
Ohé ! ohé ! ohé !
Le fermier dans son pré.

Le fermier prend sa femme,
Le fermier prend sa femme,
Ohé ! ohé ! ohé !
Le fermier prend sa femme.

La femme prend son enfant…

L'enfant prend la nourrice…

La nourrice prend le chat…

Le chat prend la souris…

La souris prend l'fromage…

Le fromage est battu…

La chèvre

Il était une chèvre de fort tempérament
Qui revenait d'Espagne et parlait allemand.

En ballottant d'la queue et grignotant des dents. *(bis)*

Elle revenait d'Espagne et parlait allemand,
Elle entra par hasard dans le champ d'un Normand.

Elle entra par hasard dans le champ d'un Normand
Et y vola un chou qui valait bien trois francs.

Et y vola un chou qui valait bien trois francs
Et la queue d'un poireau qu'en valait bien autant.

34

Et la queue d'un poireau qu'en valait bien autant,
Le Normand l'assigna devant le Parlement.

Le Normand l'assigna devant le Parlement,
La chèvre comparut et s'assit sur un banc.

La chèvre comparut et s'assit sur un banc
Puis elle ouvrit le code et regarda dedans.

Puis elle ouvrit le code et regarda dedans,
Elle vit que son affaire allait fort tristement.

Elle vit que son affaire allait fort tristement
'lors elle ouvrit la porte et prit la clé des champs.

Quand j'étais chez mon père

Quand j'étais chez mon père, apprenti pastouriau,
Il m'a mis dans la lande, pour garder les troupiaux.

Troupiaux, troupiaux,
Je n'en avais guère,
Troupiaux, troupiaux,
Je n'en avais biau.

Mais je n'en avais guère, je n'avais qu'trois agneaux,
Et le loup de la plaine m'a mangé le plus biau.

Il était si vorace, n'a laissé que la piau,
N'a laissé que la queue, pour mettre à mon chapiau.

Mais des os de la bête me fis un chalumeau,
Pour jouer à la fête, à la fête du hamiau.

Pour faire danser l'village, dessous le grand ormiau,
Et les jeunes et les vieilles, les pieds dans les sabiots.

J'ai perdu le do

J'ai perdu le do de ma clarinette. *(bis)*

Ah ! si Papa il savait ça, tralala *(bis)*
Il dirait, ohé !
Il chanterait, ohé ! :
– Tu n'connais pas la cadence,
Tu n'sais pas comment l'on danse,
Tu n'sais pas danser
Au pas cadencé.
Au pas, camarade, *(bis)*
Au pas, au pas, au pas,
Au pas, camarade, *(bis)*
Au pas, au pas, au pas,
Au pas, au pas.

J'ai perdu le ré de ma clarinette. *(bis)*

J'ai perdu le mi de ma clarinette. *(bis)*

J'ai perdu le fa de ma clarinette. *(bis)*

…

Jean Petit qui danse

Jean Petit qui danse, *(bis)*
De son doigt il danse, *(bis)*
De son doigt, doigt, doigt,
Ainsi danse Jean Petit.

Jean Petit qui danse, *(bis)*
De sa main il danse, *(bis)*
De sa main, main, main,
De son doigt, doigt, doigt,
Ainsi danse Jean Petit.

Jean Petit qui danse, *(bis)*
De son bras il danse, *(bis)*
De son bras, bras, bras…

40

Jean Petit qui danse, *(bis)*
De son pied il danse, *(bis)*
De son pied, pied, pied…

Jean Petit qui danse, *(bis)*
De sa tête il danse, *(bis)*
De sa tête, tête, tête…

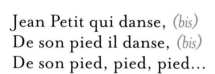

Sur la route de Louviers

Sur la route de Louviers *(bis)*
Il y'avait un cantonnier. *(bis)*
Et qui cassait *(bis)*
Des tas d'cailloux *(bis)*
Et qui cassait des tas d'cailloux
Pour mettre sur l'passage des roues.

Une bell' dam' vint à passer *(bis)*
Dans un beau carross' doré. *(bis)*
Et qui lui dit : *(bis)*
– Pauv' cantonnier ! *(bis)*
Et qui lui dit : – Pauv' cantonnier !
Tu fais un fichu métier !

Le cantonnier lui répond : *(bis)*
– Faut qu'j'nourrissions nos garçons. *(bis)*
Car si j'roulions *(bis)*
Carross' comm' vous *(bis)*
Car si j'roulions carross' comm' vous,
Je n'casserions pas d'cailloux !

Cette réponse se fait r'marquer *(bis)*
Par sa grande simplicité. *(bis)*
C'est c'qui prouv' que *(bis)*
Les malheureux *(bis)*
C'est c'qui prouv' que les malheureux,
S'ils le sont, c'est malgré eux.

Voici le mois de mai

Voici le mois de mai, où les fleurs volent au vent. *(bis)*
Où les fleurs volent au vent, si jolie mignonne,
Où les fleurs volent au vent, si mignonnement.

Le gentil fils du roi s'en va les ramassant. *(bis)*
S'en va les ramassant, si jolie mignonne,
S'en va les ramassant, si mignonnement.

Il en ramasse tant, qu'il en remplit ses gants. *(bis)*

À sa mie les porta, les donna en présent. *(bis)*

– Prenez, prenez ma mie, je vous donne ces gants. *(bis)*

Portez-les donc, ma mie, trois ou quatre fois l'an. *(bis)*

À Pâques, à la Toussaint, Noël et la Saint-Jean. *(bis)*

Le roi a fait battre tambour

Le roi a fait battre tambour *(bis)*
Pour voir toutes ces dames.
Et la première qu'il a vue
Lui a ravi son âme.

    — Marquis, dis-moi, la connais-tu ? *(bis)*
    Qui est cette jolie dame ?
    Le marquis lui a répondu :
    — Sire roi, c'est ma femme.

— Marquis, tu es plus heureux qu'moi *(bis)*
D'avoir femme si belle.
Si tu voulais me l'accorder,
Je me chargerais d'elle.

— Sire, si vous n'étiez pas le roi, *(bis)*
J'en tirerais vengeance.
Mais puisque vous êtes le roi,
À votre obéissance.

— Marquis, ne te fâche donc pas, *(bis)*
T'auras ta récompense.
Je te ferai dans mes armées,
Beau maréchal de France.

— Adieu, ma mie, adieu, mon cœur, *(bis)*
Adieu, mon espérance !
Puisqu'il te faut servir le roi,
Séparons-nous d'ensemble.

La reine a fait faire un bouquet *(bis)*
De belles fleurs de lys.
Et la senteur de ce bouquet
A fait mourir marquise.

Compagnons de la Marjolaine

– Qu'est-ce qui passe ici si tard,
Compagnons de la Marjolaine,
Qu'est-ce qui passe ici si tard,
Gai, gai, dessus le quai ?

– C'est le chevalier du guet,
Compagnons de la Marjolaine,
C'est le chevalier du guet,
Gai, gai, dessus le quai.

– Que demande le chevalier ?…

– Une fille à marier…

– N'y a pas d'filles à marier…

– On m'a dit qu'vous en aviez…

– Ceux qui l'ont dit s'sont trompés…

– Je veux que vous m'en donniez…

– Sur les minuit, revenez…

– Les minuit sont bien sonnés…

– Mais nos filles sont couchées…

– En est-il une d'éveillée ?...

– Qu'est-ce que vous lui donnerez ?...

– De l'or, des bijoux assez...

– Elle n'est pas intéressée...

– Mon cœur je lui donnerai...

– En ce cas-là, choisissez...

La bataille de Reichshoffen

C'était au soir
D'la bataille de Reichshoffen,
Il fallait voir les cavaliers charger.
Attention ! Cavaliers, chargez,
D'un bras !

C'était au soir
D'la bataille de Reichshoffen,
Il fallait voir les cavaliers charger.
Attention ! Cavaliers, chargez,
D'un bras, d'un pied !

C'était au soir
D'la bataille de Reichshoffen,
Il fallait voir les cavaliers charger.
Attention ! Cavaliers, chargez,
D'un bras, d'un pied, de la tête !

...

Ne pleure pas, Jeannette

— Ne pleure pas, Jeannette,
Tra la la la la la la la la la la la la,
Ne pleure pas, Jeannette,
Nous te marierons ! *(bis)*

Avec le fils d'un prince,
Tra la la la la la la la la la la la la,
Avec le fils d'un prince,
Ou celui d'un baron ! *(bis)*

— Je ne veux pas d'un prince…
Encor' moins d'un baron. *(bis)*

Je veux mon ami Pierre…
Celui qu'est en prison. *(bis)*

— Tu n'auras pas ton Pierre…
Nous le pendouillerons. *(bis)*

— Si vous pendouillez Pierre…
Pendouillez-moi avec. *(bis)*

Et l'on pendouilla Pierre…
Et sa Jeanneton avec. *(bis)*

Sur la plus haute branche…
Un rossignol chantait. *(bis)*

Il chantait les louanges…
De Pierre et de Jeannette. *(bis)*

Pique la baleine

Pour retrouver ma douce amie,
Oh ! mes bouées !
Ouh ! là ! ouh ! là là là !

Pique la baleine, joli baleinier,
Pique la baleine, je veux naviguer.

Aux mille mers j'ai navigué,
Oh ! mes bouées !
Ouh ! là ! ouh ! là là là !

Des mers du Nord aux mers du Sud…

Je l'ai r'trouvée quand j'm'ai noyé…

Dans les grands fonds, elle m'espérait…

En couple à elle j'me suis couché…

Les petits poissons

Les petits poissons dans l'eau
Nagent, nagent, nagent, nagent, nagent,
Les petits poissons dans l'eau
Nagent aussi bien que les gros.

Les petits, les gros
Nagent comme il faut.
Les gros, les petits
Nagent bien aussi.

Bon voyage, monsieur Dumollet

Bon voyage, monsieur Dumollet,
À Saint-Malo débarquez sans naufrage,
Bon voyage, monsieur Dumollet,
Et revenez si le pays vous plaît.

Si vous venez revoir la capitale,
Méfiez-vous des amis, des flatteurs,
Des billets doux, des gens, de la cabale,
Des pistolets, des filous, des voleurs.

Là, vous verrez, les deux mains dans les poches,
Aller, venir des sages et des fous,
Des gens bien faits, des tordus, des bancroches,
Nul ne sera si bien jambé que vous.

Des polissons vous feront bien des niches,
À votre nez riront bien des valets,
Craignez surtout les barbets, les caniches,
Car ils voudront caresser vos mollets.

L'air de la mer peut vous être contraire,
Pour vos bas bleus, les flots sont un écueil.
Si ce séjour venait à vous déplaire,
Revenez-nous avec bon pied bon œil.

Dans le pré s'en va le train

Dans le pré s'en va le train
Tout chargé de sacs de grains.
Accroche-toi, derrière moi,
Et tiens-toi des deux mains.
Tchou ! tchou !

56

Sous l'tunnel s'en va le train
Tout chargé de sacs de grains.
Baisse-toi, derrière moi,
Et tiens-toi des deux mains.
Tchou ! tchou !

Sur le pont s'en va le train
Tout chargé de sacs de grains.
Relève-toi, derrière moi,
Et tiens-toi des deux mains.
Tchou ! tchou !

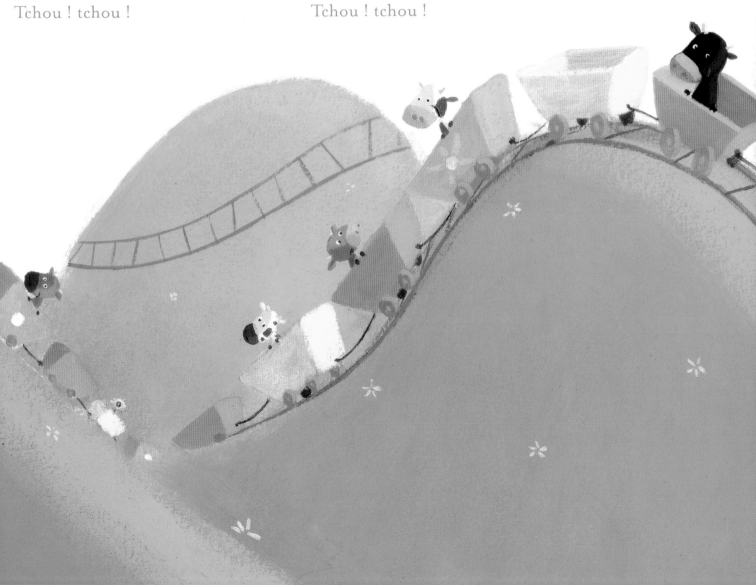

La marche des Rois

De bon matin, j'ai rencontré le train,
De trois grands rois qui allaient en voyage.
De bon matin, j'ai rencontré le train,
De trois grands rois dessus le grand chemin.
Venaient d'abord les gardes du corps,
Des gens armés avec trente petits pages.
Venaient d'abord les gardes du corps,
Des gens armés dessus leurs justaucorps.

Puis sur un char, doré de toutes parts,
On voit trois rois modestes comme des anges.
Puis sur un char, doré de toutes parts,
Trois rois debout parmi les étendards.
L'étoile luit et les rois conduit,
Par longs chemins devant une pauvre étable.
L'étoile luit et les rois conduit,
Par longs chemins devant l'humble réduit.

Au fils de Dieu qui naquit en ce lieu,
Ils viennent tous présenter leurs hommages.
Au fils de Dieu qui naquit en ce lieu,
Ils viennent tous présenter leurs doux vœux.
De beaux présents, or, myrrhe et encens,
Ils vont offrir au maître tant admirable.
De beaux présents, or, myrrhe et encens,
Ils vont offrir au bienheureux enfant.

Mon beau sapin

Mon beau sapin, roi des forêts,
Que j'aime ta verdure !
Quand par l'hiver, bois et guérets
Sont dépouillés de leurs attraits,
Mon beau sapin, roi des forêts,
Tu gardes ta parure.

Toi que Noël planta chez nous
Au saint anniversaire.
Joli sapin, comme ils sont doux,
Et tes bonbons, et tes joujoux.
Toi que Noël planta chez nous
Tout brillant de lumière.

Mon beau sapin, tes verts sommets
Et leur fidèle ombrage,
De la foi qui ne ment jamais
De la constance et de la paix,
Mon beau sapin, tes verts sommets
M'offrent la douce image.